SNOOPY,
VUELVE A CASA

SNOOPY, VUELVE A CASA

por Charles M. Schulz

HOLT, RINEHART AND WINSTON

New York · Chicago · San Francisco

Published simultaneously in Canada by Holt, Rinehart
and Winston of Canada, Limited.

Published, July, 1969
Second Printing, July, 1971

ISBN: 0-03-072590-9
Printed in the United States of America

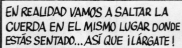

VAMOS A SALTAR LA CUERDA, SNOOPY...

EN REALIDAD VAMOS A SALTAR LA CUERDA EN EL MISMO LUGAR DONDE ESTÁS SENTADO... ASÍ QUE ¡LÁRGATE!

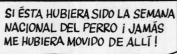

SI ÉSTA HUBIERA SIDO LA SEMANA NACIONAL DEL PERRO ¡JAMÁS ME HUBIERA MOVIDO DE ALLÍ!

¡DEBERÍAN INVENTAR UNA PERRERA QUE NO SE RETORCIERA!

¿QUÉ PUEDE UNO HACER CUANDO EL PACIENTE NO DICE NI UNA SOLA PALABRA?

ESE PEQUEÑO INSECTO VIVE EN SU PROPIO MUNDO...

NO SABE NADA DE LAS PRUEBAS ATMOS-FÉRICAS, HUELGAS, PROBLEMAS AGRARIOS, ASISTENCIA MÉDICA, EDUCACIÓN O IMPUESTOS SOBRE LA RENTA...

SU ÚNICO PROBLEMA ES BUSCARSE LA COMIDA Y EVITAR QUE LO APLASTEN...

¡AHÍ ESTÁ EL SECRETO... REDUCIR AL MÍNIMO LAS PREOCUPACIONES!

¿SUPISTE LO DE LA NUEVA CARRETERA?

¡SI LA CONSTRUYEN SEGÚN LOS PLANES, PASARÁ JUSTAMENTE POR DONDE ESTÁ LA PERRERA DE SNOOPY!

ESO NO ME SORPRENDE EN LO ABSOLUTO...

¡ES UN NUEVO EJEMPLO DE INHUMANIDAD DEL HOMBRE HACIA EL PERRO!

¡AHORA COMPRENDO ESO DE "ABRAN PASO AL PROGRESO"!

LOS INGENIEROS VAN Y VIENEN; RETUMBAN LOS CAMIONES; LAS NIVELADORAS ACABANDO CON TODO...

...Y DE REPENTE ¡SE FUE!

¡MI VIEJO HOGAR!

¡NO PODEMOS PER-MITIR QUE CONSTRU-YAN UNA CARRETERA POR AQUÍ Y DESTRUYAN LA CASA DE SNOOPY!

TAL VEZ PUDIÉRAMOS ESCRIBIR UNA CARTA DE PROTESTA...

¿A QUIÉN?

NO SÉ...¿QUÉ TAL A SAM SNEAD? ¡SIEMPRE LE HE TENIDO CIERTA ADMIRACIÓN!

¿SE HA VUELTO LOCO TODO EL MUNDO?

¿DESDE CUÁNDO ES MÁS IMPORTANTE UNA CARRETERA QUE EL HOGAR DE UN PERRO? ¿HEMOS PERDIDO LA RAZÓN?

¿HEMOS PERDIDO NUESTRA PERSPECTIVA? ¿YA NO SIGNIFICA NADA PARA NOSOTROS EL CARIÑO Y LA LEALTAD DE UN PERRO?

¡QUÉ ELOCUENCIA, CHARLIE BROWN!

CLAP CLAP CLAP

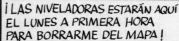

¡VÁLGAME DIOS, YA ES VIERNES HOY!

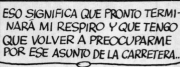

ESO SIGNIFICA QUE PRONTO TERMINARÁ MI RESPIRO Y QUE TENGO QUE VOLVER A PREOCUPARME POR ESE ASUNTO DE LA CARRETERA...

¡NO PUEDO SOPORTARLO! ¡SIMPLEMENTE NO PUEDO!

¿POR QUÉ NO TENGO AMIGOS INFLUYENTES?

SCHULZ

UN DÍA MÁS Y ESTARÁN AQUÍ LAS NIVELADORAS...

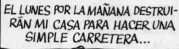

EL LUNES POR LA MAÑANA DESTRUIRÁN MI CASA PARA HACER UNA SIMPLE CARRETERA...

SUSPIRO

¡TÚ HAS SIDO UN BUEN HOGAR!

SCHULZ

¡PARA MÍ, NO HAY NADA MÁS FEO EN EL MUNDO QUE UN PLATO VACÍO!

¡COMPRENDO LA INDIRECTA!

¿LOS BUITRES VUELAN MUY ALTO, CHARLIE BROWN?

OH, SÍ... POR LO GENERAL VUELAN EN CÍRCULO... DAN VUELTAS Y MÁS VUELTAS...

¡DE REPENTE, EN MEDIO DE GRAN ALETEO, CAEN SOBRE LA TIERRA!

¡PLAF!

¡CARAY! ¡UN VERDADERO BUITRE JAMÁS SE HUBIERA DEJADO VENCER POR UNA MIRADA!

CASI NUNCA PIENSO EN ESO...

PERO DE VEZ EN CUANDO ME FASTIDIA...

¡LA GENTE DE MI CLASE NUNCA COME EN VAJILLA DE PORCELANA!

SCHULZ

NO HAY DUDA DE QUE MIS ANTEPASADOS LLEVARON UNA VIDA MÁS DURA QUE LA MÍA...

TENÍAN QUE CAZAR PARA COMER, LUCHAR POR LA VIDA...

¡DESDE LUEGO, YO TENGO QUE AGUANTAR MUCHAS COSAS QUE ELLOS NI SOÑARON!

SCHULZ

¡PAF!

¡ A UN HELICÓPTERO DE VERDAD NO SE LE ENREDAN LAS OREJAS!

¡APUESTO A QUE YO LUCIRÍA MUY BIEN EN LA CAPOTA DE UN AUTOMÓVIL!

¡MIS LENTES! ¡NO ENCUENTRO MIS LENTES NUEVOS!

¡EL OCULISTA ME MATA SI PIERDO MIS LENTES NUEVOS!

NO TE PREOCUPES... ALGUIEN LOS ENCONTRARÁ Y TE LOS TRAERÁ...

¿VES? ¿QUÉ TE DIJE?

¡BENDITO SEA DIOS! ¿PERO ES QUE NUNCA **DUERMES**?

QUIERO QUE SEPAS QUE PARA MÍ ÉSTA HA SIDO UNA SEMANA MUY FELIZ

NO SIEMPRE ENCUENTRA UNO A ALGUIEN TAN AGRADABLE Y YO ESPERO QUE...

¡¡OH, NO!!

SI YO FUERA UN GORILA DE LA SELVA NO TENDRÍA QUE CAMINAR...

SI QUISIERA IR A ALGUNA PARTE **BRINCARÍA** A UN ÁRBOL Y SALTARÍA DE RAMA EN RAMA

¡AQUÍ ESTÁ EL FIERO GORILA GOLPEÁNDOSE EL PECHO MIENTRAS LOS DEMÁS HABITANTES DE LA SELVA TIEMBLAN DE HORROR!

EN ESO VE A LA DESVALIDA DONCELLA... Y DECIDE LLEVÁRSELA...

ELLA ESTÁ HORRORIZADA...

¡RAYOS!

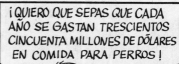

¡TÚ NO LO SABES, PERO TUS PROBLEMAS NO HAN HECHO MÁS QUE EMPEZAR!

¿CÓMO ES POSIBLE QUE ALGUIEN QUIERA ABANDONAR UN ÁRBOL TAN AGRADABLE?

¿VES A LO QUE DISTE LUGAR?

MI CASA ES DE ESAS EN QUE LOS AMIGOS SABEN QUE SON BIEN RECIBIDOS A CUALQUIER HORA

Schulz

ES BUENO TENER UNA CASA DONDE LOS INVITADOS SE SIENTEN A GUSTO

Schulz

¡MI HOGAR SIEMPRE ESTÁ ABIERTO PARA LOS QUE GUSTAN DE CAMBIAR IMPRESIONES!

¡TARDE O TEMPRANO SE CANSA UNO DE LA GENTE!

¡NO HAGAS NADA QUE LUEGO PUEDAS LAMENTAR!

BUEN CONSEJO

SCHULZ

¡¡ES UNA VERGÜENZA ANDAR POR AHÍ EL DÍA ENTERO SIN HACER NADA!! ¡VAMOS, VETE A CAZAR CONEJOS!

JAU JAU JAU

¡NO ENGAÑAS A NADIE MÁS QUE A TI MISMO!

SCHULZ

UF ❄ ESO ES DEMASIADO DIFÍCIL...

¡ME PARECE QUE SI YO FUERA UN SALMÓN ME LIMITARÍA A NADAR CORRIENTE **ABAJO**!

SCHULZ

AQUÍ VIENE EL DECIDIDO SALMÓN NADANDO CORRIENTE ARRIBA...

SALTA CONTRA LA CATARATA...

Y ENTONCES...

?

SCHULZ

¡TORMENTA EN ALTA MAR!

¡EL FIERO VENDAVAL DISPARA LA LLUVIA CONTRA LA CARA DEL CAPITÁN EN LA CUBIERTA!

¿NO TE GUSTA CAMINAR BAJO UN SUAVE AGUACERO DE VERANO?

SUSPIRO

"¡Y BUFÓ Y RESOPLÓ Y ASÍ LA CASA TUMBÓ!"

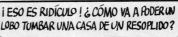

¡ESO ES RIDÍCULO! ¿CÓMO VA A PODER UN LOBO TUMBAR UNA CASA DE UN RESOPLIDO?

SCHULZ

IBA A PREGUNTARTE SI QUERÍAS JUGAR UN POCO A LA PELOTA, SNOOPY...

PERO EN ESO RECORDÉ QUE ÉSTA ES "LA SEMANA NACIONAL DEL PERRO," Y NO CREO QUE ESTÉS DISPUESTO A CORRER DETRÁS DE UNA BOLA ESTA SEMANA ¿NO ES CIERTO?

¿NO ES CIERTO?

¡NO, SI YO LO SABÍA!

AHÍ VAN MÁS PÁJAROS VOLANDO HACIA EL SUR PARA PASAR EL INVIERNO...

¡HASTA LA VISTA, PÁJAROS! ¡BUEN VIAJE!

SUPONGO QUE ALGUIEN DEBERÍA DECIR A LOS GUSANOS QUE YA NO HAY PELIGRO EN SALIR A LA SUPERFICIE...

SCHULZ

HE AQUÍ UN INSECTO QUE PARECE SABER ADONDE VA... ¡EY! SE PARÓ EN SECO...

AHORA REGRESA COMO SI SE LE HUBIERA OLVIDADO ALGO...

Y AHORA ARRANCA DE NUEVO...

¡ME FASTIDIA NO SABER QUÉ PUEDE HABÉRSELE OLVIDADO A UN INSECTO!

ALLÁ VAN LOS NIÑOS... ¡A LA ESCUELA!

ME GUSTARÍA QUE PUDIÉRAMOS IR A LA ESCUELA, SNOOPY...

PERO NO LO DEJAN IR A UNO HASTA QUE TENGA CINCO AÑOS...

...¡Y PUEDA PROBAR QUE ES UN SER HUMANO!

JAU JAU JAU

¿POR QUÉ SERÁ QUE LOS PERROS PERSIGUEN A LOS AUTOMÓVILES?

ES EVIDENTE...

¡PARA LEER LO QUE DICE EL DISCO METÁLICO QUE CUBRE LAS RUEDAS!

SCHULZ

SE ACABÓ LA COMIDA DE PERRO... ¿QUÉ TAL UN POCO DE PAN CON LECHE?

REFUNFUÑAR NO CONDUCE A NADA

NI LLORAR...

ESTÁ BIEN, TRAE EL PAN CON LECHE

SCHULZ

¡MI HOGAR ES REMANSO DEL FATIGADO VIAJERO!

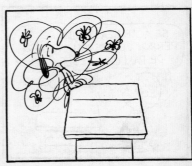

¡CATAPLÚN!

¡ESTÚPIDAS MARIPOSAS!

¡VÁLGAME DIOS!

¡HAY QUE ESTAR LOCO PARA USAR UN ABRIGO DE PIEL CON ESTE CALOR!

¡ALGUNOS PREFERIMOS SACRIFICAR LA COMODIDAD A LA ELEGANCIA!

SCHULZ

¡PUEDE QUE NO TE HAYAS DADO CUENTA, PERO SNOOPY ES EL TIPO DE PERRO QUE MÁS TEMEN LOS LADRONES!

SUPONGO QUE ES MUY FEROZ CUANDO SE LE PROVOCA...

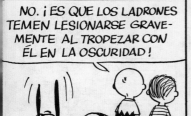

NO. ¡ES QUE LOS LADRONES TEMEN LESIONARSE GRAVEMENTE AL TROPEZAR CON ÉL EN LA OSCURIDAD!

¡NO HAY QUE SER TAN SARCÁSTICO!

SCHULZ

TU CENA TE AGUARDA,
¡OH, PRIVILEGIADO!

¡EL CRUEL SARCASMO ME
QUITA EL APETITO!

¡CATAPLÚN!

¡ODIO LOS
DÍAS EN QUE
SOPLA
FUERTE EL
VIENTO!

AQUÍ ESTÁ EL PERRO FIEL SIGUIENDO A LOS NIÑOS A LA ESCUELA...

AQUÍ ESTÁ EL PERRO FIEL SENTADO AFUERA MIENTRAS TODOS LOS NIÑOS ENTRAN...

AQUÍ ESTÁ EL PERRO FIEL ECHADO AFUERA ESPERANDO QUE SE ACABEN LAS CLASES...

¡AQUÍ ESTÁ EL PERRO FIEL COMPRENDIENDO SÚBITAMENTE QUE ESTÁ PERDIENDO EL TIEMPO!

SCHULZ

SUSPIRO

POBRE TIPO... ¡TIENE TODA SUERTE DE PROBLEMAS EN LA CASA!

SCHULZ

SUSPIRO

EL OÍR LOS PROBLEMAS DE LOS DEMÁS SIEMPRE ME DEPRIME...

SCHULZ

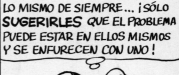

LO MISMO DE SIEMPRE... ¡SÓLO **SUGERIRLES** QUE EL PROBLEMA PUEDE ESTAR EN ELLOS MISMOS Y SE ENFURECEN CON UNO!

SCHULZ

LOS TIENE...
¡YO SÉ QUE LOS TIENE!

ES EL ÚNICO QUE SIEMPRE LES ECHA MANO...

¡ESE PERRO ME VA A SACAR DE QUICIO!

¡LA REUNIÓN MENSUAL DE LA ASOCIACIÓN DE PADRES Y MAESTROS DE PINECREST QUEDA ABIERTA!

SCHULZ

LA CONSTANCIA DE LAS ESTRELLAS SIEMPRE ME IMPRESIONA...

ME DA UNA SENSACIÓN DE SEGURIDAD MIRAR HACIA ARRIBA Y SABER QUE ESA ESTRELLA ESTARÁ SIEMPRE ALLÍ Y QUE...

A VECES CUANDO ME LEVANTO POR LA MAÑANA ME SIENTO MUY RARO...

¡TENGO UN IMPULSO IRRESISTIBLE DE MORDER A UN GATO! ¡ME PARECE QUE SI NO MUERDO A UN GATO ANTES DEL ANOCHECER, ME VUELVO LOCO!

PERO LUEGO RESPIRO FUERTE Y SE ME OLVIDA...

¡ESO ES LO QUE SE LLAMA ALCANZAR LA VERDADERA MADUREZ!

SCHULZ

¡CUALQUIERA QUE SE ACUESTE ENCIMA DE UNA PERRERA, EN UN CALUROSO AGOSTO AL MEDIODÍA, TIENE QUE ESTAR COMPLETAMENTE LOCO!

¿YA ESTAMOS EN AGOSTO?

SCHULZ

¡TIQUI, TIQUI, COSQUILLITAS!

JI JI JI

¡ESO ES LO QUE PASA CUANDO UNO VIVE MUY CERCA DE LA VÍA PÚBLICA!

ESTA VA A SER LA ÚLTIMA OPORTUNIDAD DEL AÑO PARA QUE TENGAMOS UN PICNIC...

ASÍ ES... NADA DE MERIENDA FORMAL... NI SIQUIERA DIREMOS A LA GENTE LO QUE TIENE QUE LLEVAR...

QUE CADA UNO LLEVE LO QUE CONSIDERE NECESARIO...

¡CARNE CON SALSA!

A... A...
A...
A...

ACHÚ

SUSPIRO

QUÉ DECEPCIÓN

¿QUÉ PASA?

SNOOPY NO ES TAN INTELIGENTE COMO YO CREÍA...

¡MUEVE LOS LABIOS AL LEER!

¡PUN!

¡PURA SATISFACCIÓN!

SCHULZ

¡TODAS LAS CRIATURAS DEL MUNDO TIENEN OCULTO DENTRO DE SU SER UN TREMENDO, INCONTROLABLE IMPULSO DE **PATEAR** UN BALÓN!

SCHULZ

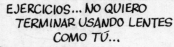

MMM...

¿SABÍAS TÚ QUE ÉSTA ERA "LA SEMANA NACIONAL DEL GATO"?

¡AAAH!

NO, ME IMAGINO QUE NO LO SABÍAS..

¡MI ODIO A LOS GATOS NO TIENE LÍMITES!

¡ODIO A LOS GATOS, DESPRECIO A LOS GATOS, ABORREZCO A LOS GATOS!

¡Y TAMBIÉN LES TENGO UN MIEDO HORRIBLE!

SNOOPY

QUIZÁS YO ODIO A LOS GATOS PORQUE EN REALIDAD LES TENGO MIEDO...

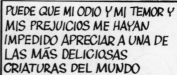

PUEDE QUE MI ODIO Y MI TEMOR Y MIS PREJUICIOS ME HAYAN IMPEDIDO APRECIAR A UNA DE LAS MÁS DELICIOSAS CRIATURAS DEL MUNDO

ESTO PUDIERA MUY BIEN SER CIERTO...

...¡PERO LO DUDO!

JAU JAU JAU JAU JAU JAU JAU

¿HABRÁ VISTO SNOOPY A UN LADRÓN?

NO, ÉSE NO ES SU "LADRIDO PARA LADRONES"

JAU JAU JAU JAU JAU

¡ÉSE ES SU "LADRAR POR LADRAR"!

CUANDO HAY UN PROGRAMA DE CACERÍA, ¡YO ME VOY!

JAU JAU JAU JAU

"PERRO QUE LADRA NO MUERDE"

¿POR QUÉ SERÁ ASÍ, CHARLIE BROWN?

NO SÉ...TAL VEZ NO SEA MÁS QUE UN DICHO...

NO, ¡ES PORQUE AL LADRAR SE MUERDE UNO LA LENGUA!

NO ENCUENTRO TU PLATO, SNOOPY...

¿?¿?

HE BUSCADO POR TODAS PARTES PERO NO LO ENCUENTRO... TENDRÉ QUE PONERTE LA COMIDA EN OTRA COSA...

¡OH, NO!

¡EN MI VIDA ME HE SENTIDO TAN ABOCHORNADO!

¿SABES LO QUE HE OBSERVADO EN TI, LUCY?

ME HE FIJADO EN QUE NUNCA ACARICIAS A UN PERRO CUANDO PASAS A SU LADO

¿BUENO Y QUÉ?

ESO PRUEBA QUE NO QUIERES A LOS ANIMALES

MUCHO PEOR. ¡ES SÍNTOMA DE UN MAL MÁS PROFUNDO!

SCHULZ

LA VACUNA
CONTRA LA RABIA

SCHULZ

ASÍ QUE TE
PUSIERON AYER LA
VACUNA CONTRA LA
RABIA. ¿TE
DOLIÓ?

PERDÓNAME... NO DEBÍ
HABÉRTELO RECORDADO...

SCHULZ

¡PUN!

¡QUÉ BIEN ME SIENTO SIEMPRE QUE HAGO ESTO!

MUCHOS PSIQUIATRAS DICEN QUE PATEAR UN BALÓN ES ALTAMENTE RECOMENDABLE...

¡GRRR JAU!

¡QUE VAYAN A CELEBRAR SUS REUNIONES A OTRA PARTE!

ME ALEGRO DE HABER CAMBIADO DE PARECER Y PERMITIRLES CELEBRAR AQUÍ SUS REUNIONES...

LES TENGO CIERTA LÁSTIMA...

AHORA QUE EL GRUPO VA EN AUMENTO, ¡REALMENTE NECESITAN UN BUEN LUGAR DONDE REUNIRSE!

ME PARECE MUY BIEN...

¡SIEMPRE ABREN SUS SESIONES CON UNA CANCIÓN!

SUS REUNIONES SON CADA VEZ MÁS FRECUENTES...

AUNQUE POR LO GENERAL NO SON MUY LARGAS

¡SIN EMBARGO, A VECES NO SE ACABAN HASTA LA MEDIANOCHE!

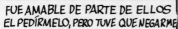

FUE AMABLE DE PARTE DE ELLOS EL PEDÍRMELO, PERO TUVE QUE NEGARME

COMO USAN MI CASA PARA SUS REUNIONES, SUPONGO QUE SE SINTIERON OBLIGADOS A PEDIRME QUE ME UNIERA AL GRUPO

¿ ESTARÁ BIEN QUE ESCUCHE LO QUE DISCUTEN EN SUS REUNIONES ?

¡ESO ES LO MÁS ESPANTOSO QUE HE OÍDO JAMÁS!

¡NO SE PUEDE LEER CUANDO UN BUITRE LO ANDA VIGILANDO A UNO!

SCHULZ

UN BUITRE DE VERDAD NO SE SIENTE SOLO

¡VÁLGAME DIOS!

¿VES ESE PÁJARO?

ESTÁ ESCUCHANDO... LOS PÁJAROS PUEDEN OÍR A LAS LOMBRICES QUE ESTÁN BAJO TIERRA...

¡CUANDO OYEN UNA LOMBRIZ, LA SACAN!

¡DEBEN SER BIEN ESCANDALOSAS!

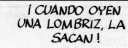

FRANCAMENTE, YO NO SÉ...

ME ES DIFÍCIL CREER QUE LOS PÁJAROS PUEDAN OÍR LOMBRICES DEBAJO DE LA TIERRA...

EN REALIDAD, EL PENSAR QUE LA TIERRA ESTÁ LLENA DE LOMBRICES ME ESPANTA...

¡SIENTO UN HORMIGUEO EN LOS PIES!

PUN

¡EN LO QUE A MÍ RESPECTA, ESO ES LO QUE MÁS SE ASEMEJA A PATEAR UN CERDO!

SI BUSCAS UNA MANZANA, TE DIRÉ QUE ME COMÍ LA ÚLTIMA...

¡OYE, SI NO LLEVARAS LOS LENTES TE ABOLLARÍA UN OJO!

LOS LENTES SON BUENOS PARA LOS OJOS... ¡NADIE SE METE CON UNO!

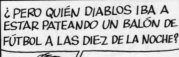

¿VES? ALGUIEN PATEÓ UN BALÓN AQUÍ...

AQUÍ ESTÁN SUS HUELLAS EN LA NIEVE RECIÉN CAÍDA... ¡LO HA ESTADO PATEANDO POR TODO EL PATIO... DE UN LADO PARA OTRO!

¡Y LUEGO **SE FUE**! ¡EN ESTA DIRECCIÓN! SI SEGUIMOS LAS HUELLAS, LLEGAREMOS HASTA EL...

..."PATEADOR LOCO"

SCHULZ

¿USTEDES ATRAPARON AL "PATEADOR LOCO"?

SÍ, SEGUIMOS SUS HUELLAS EN LA NIEVE RECIÉN CAÍDA...

¿Y QUÉ LE HICIERON?

¡NADA!

¡NADA!

¡ES MUY NATURAL MOSTRAR COMPASIÓN LA VÍSPERA DE NAVIDAD!

SCHULZ

¿CUÁL ES LA MEJOR MANERA DE MANTENERSE FRESCO CUANDO HACE CALOR?

BUENO, NO SÉ... SE ME OCURREN VARIAS MANERAS...

SUPONGO QUE CADA CUAL TIENE SU MÉTODO...

PARARSE DE CABEZA EN UNA REGADERA ES VIGORIZANTE

NO SÓLO LO REFRESCA A UNO SINO QUE ALEGRA LA PERSPECTIVA DEL FUTURO

DESDE LUEGO, TAMBIÉN PUEDE...

...¡CONVERTIRSE EN HÁBITO!

SCHULZ

TEMÍA QUE ESTO FUERA A PASAR...

NO TENGO FUERZA DE VOLUNTAD...

CUANDO ME DA POR ALGO, ¡SIEMPRE ME PASO DE ROSCA!

¡AHORA TENGO LA MANÍA DE PARARME DE CABEZA EN UNA REGADERA!

LA COSA ES GRAVE...¿CÓMO SE PUEDE AYUDAR A ALGUIEN QUE SE HA CONVERTIDO EN UN TIPO MANIÁTICO QUE SE PARA DE CABEZA EN UNA REGADERA?

MUY SENCILLO... ¡CIERRA LA LLAVE DEL AGUA!

SCHULZ

GRACIAS... * SUSPIRO *

OYE ESTO, CHARLIE BROWN...

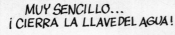

¡DICE AQUÍ QUE HAY MÁS DE SEISCIENTAS SETENTA MIL CLASES DE INSECTOS!

¡UY!

ANÍMATE, PEQUEÑO... ¡NO ESTÁS SOLO!

SCHULZ

GRRR

¡ SOY UN PÉSIMO DINOSAURIO !

¿ QUÉ CUALIDADES DEBE TENER UN BUEN JARDINERO DE BÉISBOL, CHARLIE BROWN ?

BUENO, YO DIRÍA QUE NECESITA UN BUEN BRAZO, UN BUEN PAR DE PIERNAS, BUENA VISTA ...

¡GLUG!

... ¡ Y UNA BUENA DENTADURA !

VIAJAR CONTRIBUYE AL DESARROLLO DE LA PERSONALIDAD

EL QUE NO HA CONOCIDO OTRAS TIERRAS Y OTRAS GENTES NO ESTÁ REALMENTE EDUCADO... EL VIAJAR AÑADE UN TOQUE DE MADUREZ...

DE ACUERDO... SOY UN GRAN PARTIDARIO DE LOS VIAJES...

¡SIEMPRE QUE NO PIERDA DE VISTA EL PLATO DE LA COMIDA!

¡FRANCAMENTE, PIENSO QUE DEBERÍAS SENTIRTE AVERGONZADO!

¡NINGÚN PERRO DEBERÍA PERDER EL TIEMPO DURMIENDO CUANDO PUDIERA ESTAR CAZANDO CONEJOS!

YO NO SÉ... UNOS NACEMOS PERROS, Y OTROS, CONEJOS...

A LA HORA DE CAER EN DESGRACIA TENGO QUE ADMITIR QUE PEOR ESTÁN LOS CONEJOS

¡QUÉ SUERTE QUE EL AGUA NO ME ENCOGE!

¡OH, OH! AHÍ VIENE "CHIQUERO"

¡ALGÚN DÍA ALGUIEN VA A PONER CUATRO TABLAS ALREDEDOR DE ESE MUCHACHO Y TENDRÁ UN "PATIO DE ARENA INSTANTÁNEO"!

¡FUIIIIII!

¡UN BUEN MANAGER APRENDE A SACAR EL MEJOR PARTIDO DEL MATERIAL QUE TIENE!

SCHULZ

¡RAYOS! ¡NUNCA LOGRARÉ TOSTARME AL SOL!

SCHULZ

ZUM

CON UN POCO MÁS DE PRÁCTICA ¡A QUE LE SACO TAMBIÉN LOS ZAPATOS!

Schulz

¡CHU!!!!

ME PREOCUPA PENSAR QUIEN LO VA A VER PRIMERO... ¡SI UN SCOUT DE GRANDES LIGAS O LA SOCIEDAD HUMANITARIA!

Schulz

¿QUÉ ESTÁS HACIENDO, CHARLIE BROWN?

¿NO ES ABSURDO COMPRARLE UN BARQUILLO DE HELADO A SNOOPY? ¿CÓMO SE LO VA A COMER?

¡NO PUEDE **SUJETARLO**!

LOS BARQUILLOS DE HELADO NO SE SUJETAN... ¡SE SIEMBRAN!

¡ESTOY CANSADO DE ESTA ESTÚPIDA PERSECUCIÓN!

¿QUIERES MIS LENTES? ¡PUES TÓMALOS! ¡QUÉDATE CON ELLOS!

ANDA... ¡QUÉDATE, QUÉDATE CON ELLOS! ¡NO ME IMPORTA! ¡SIMPLEMENTE QUÉDATE CON ELLOS!

¡ASÍ NO TIENE GRACIA!

¡VÁLGAME DIOS!

TE CREES MUY LISTO, ¿EH?

67